CLAIRE BRETECHER

FRANCE LOISIRS
123, Boulevard de Grenelle, Paris

ÉDITION DU CLUB FRANCE LOISIRS, PARIS,
AVEC L'AUTORISATION DE CLAIRE BRETÉCHER, ÉDITEUR

PRINTER INDUSTRIA GRÁFICA SA   PROVENZA, 388   BARCELONA
SANT VICENÇ DELS HORTS   1985

ISBN 2-7242-2613-5
DÉPÔT LÉGAL : B. 23195-1985   JUILLET 1985
N° ÉDITEUR : 10599
IMPRIMÉ EN ESPAGNE

A celui à qui je dois tout (1)

J'ÉLÈVE MON ENFANT

LA BOHÈME

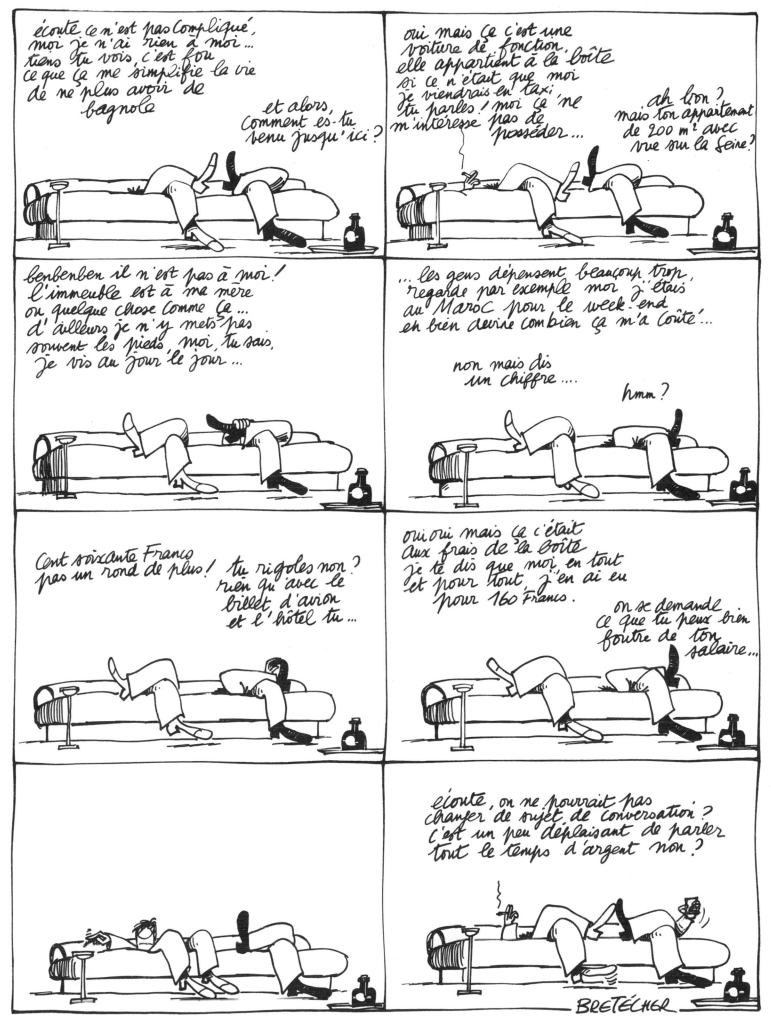

BRETÉCHER

catéchisme

Hi-Fi

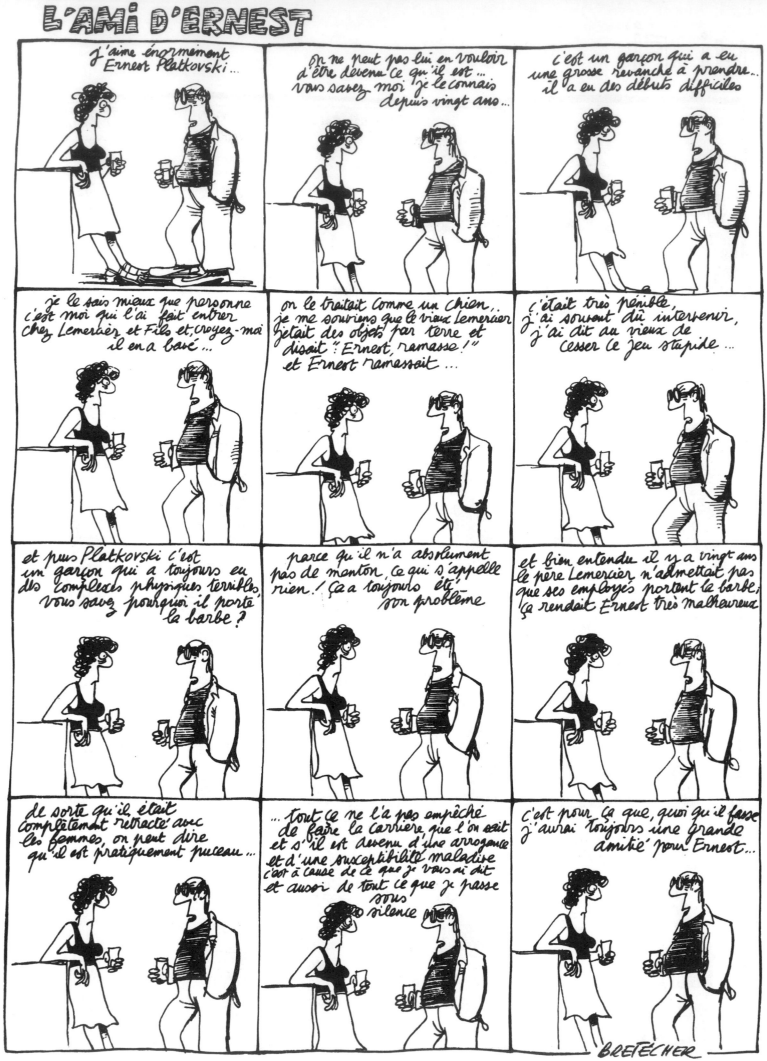

LA TÉLÉ

Claire BRETÉCHER

LES JEUNES LOUPS

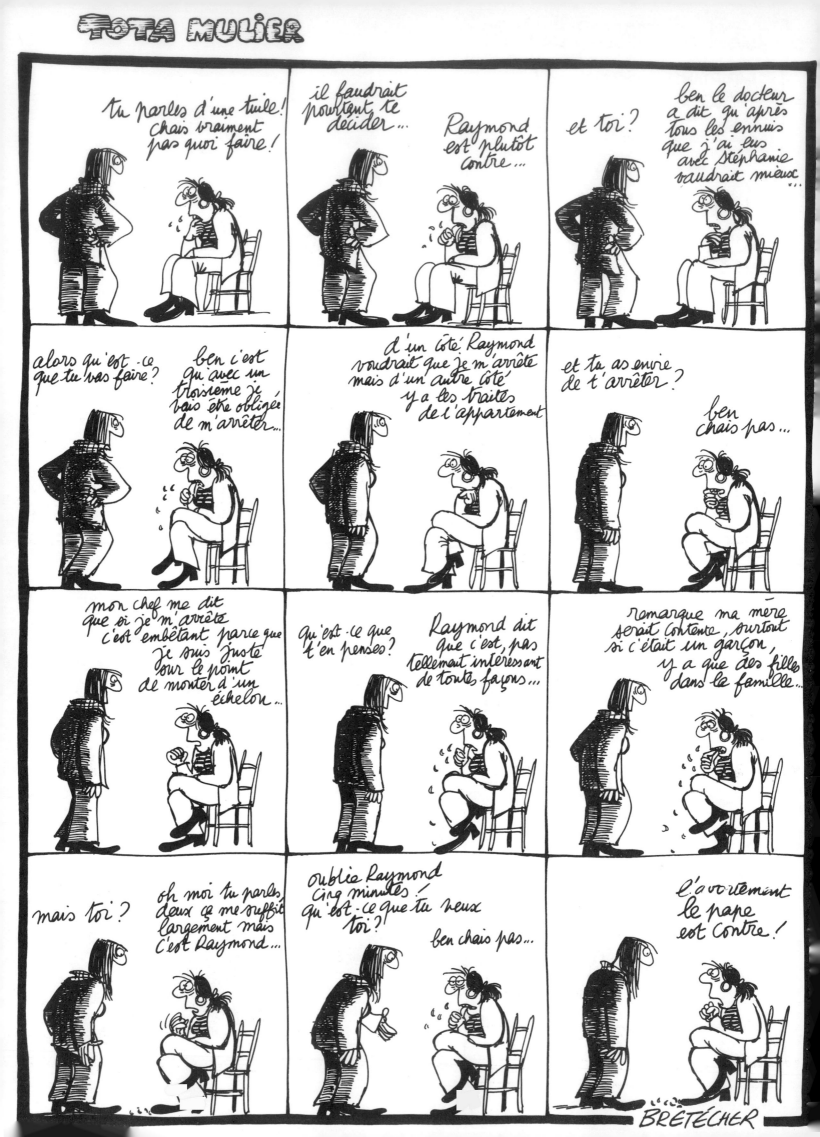

PENSÉES

NOËL 73

BETHLEEM 74

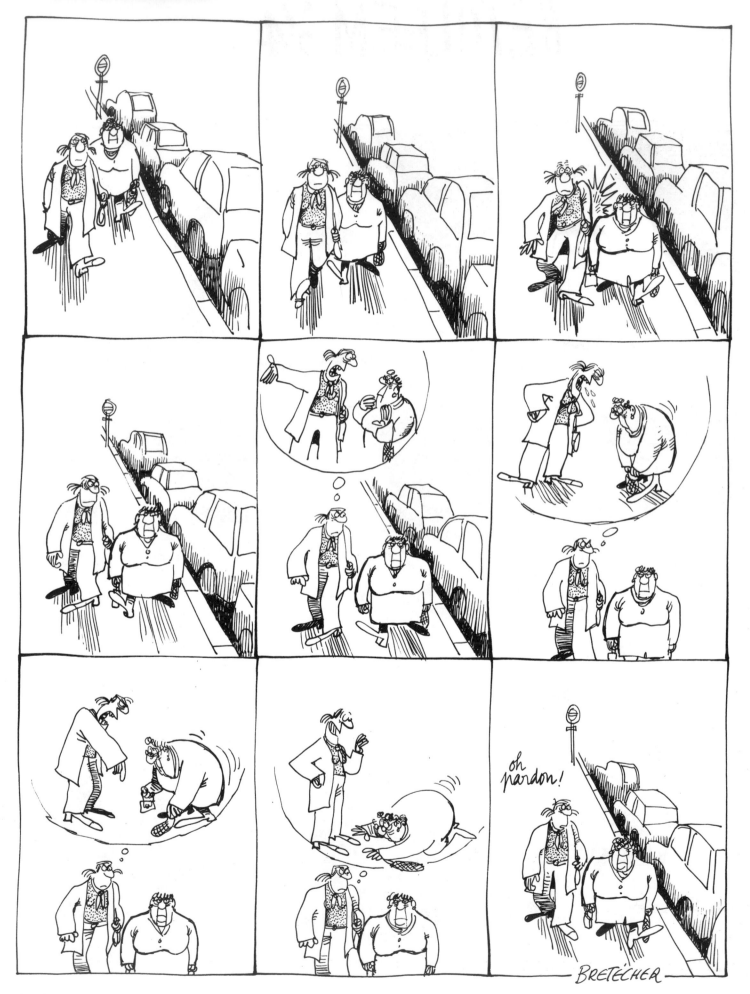

LA TÉLÉ

1920 année des lumières

UN HOMME SiMPLE

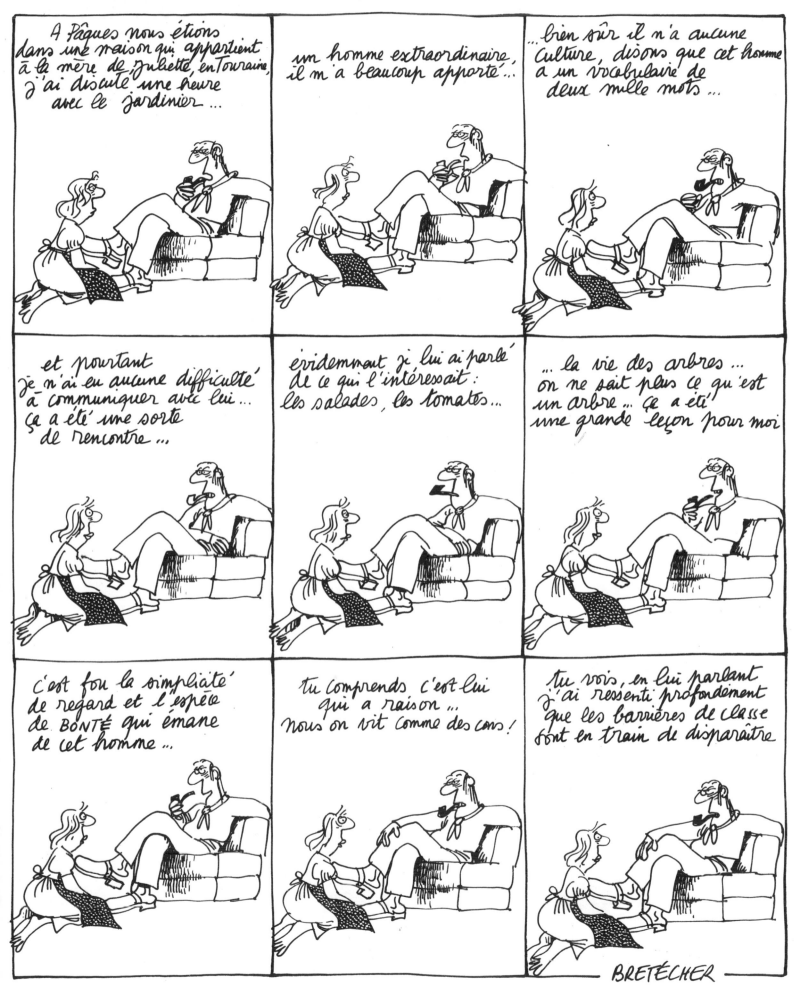

BRETÉCHER

25

Mon cahier de résolutions

JE EST UN AUTRE

les intellectuels

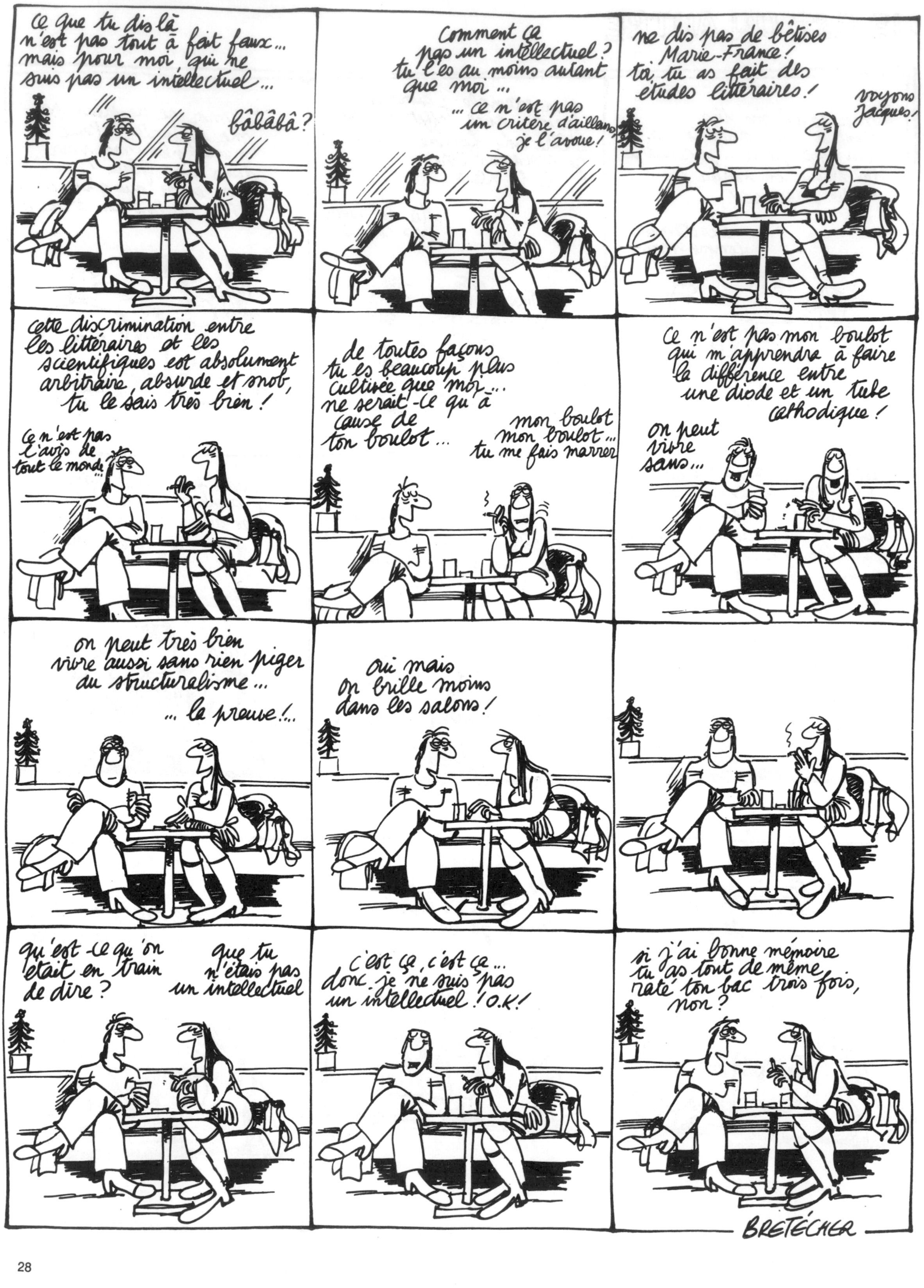

le magazine du couple

jeux et ris

BRETÉCHER

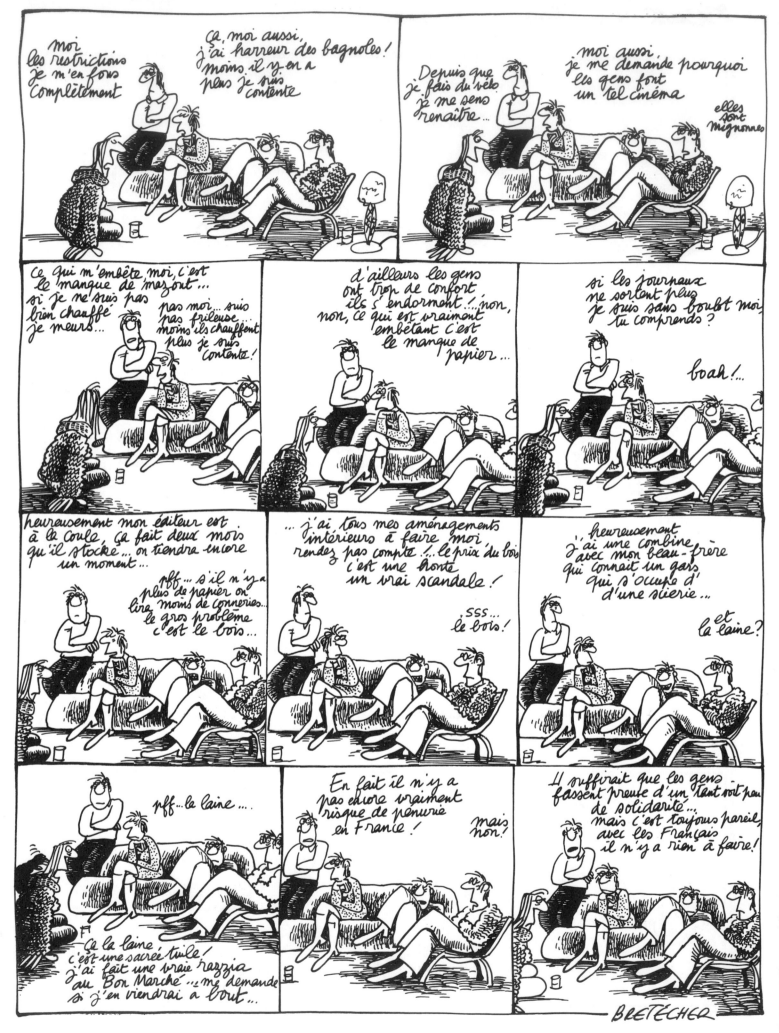

Le cancre

L'ÉGLISE DANS NOTRE TEMPS

LA GUEULE

LES CRITIQUES

c'est très mauvais!
aucune distanciation, aucun brechtisme...
il y a complètement rupture
au plan de la mise en scène
par rapport au texte...

rien n'est intériorisé...
de plus c'est politiquement
assez suspect.... on verse
encore une fois dans le pire
poujadisme...
bref c'est du théâtre
à la française!
absolument.

BRETÉCHER

FRUSTRATION blues

En ce siècle je fli-ippe
C'est la faute à Œdi-ipe
Ô gué vive la ro-ose
J'ai ma vieille névro-ose
Laissez-moi m'éclater ô gué
Je suis frustré (e)

Refrain : BEUH

C'est la faute au systè-ème
Si personne ne m'ai-aime
Ô gué vive le sequoïa
Je cours à la paranoïa
Laissez-moi délirer ô gué
Je suis frustré(e)

Au refrain –

Le sexe, le sexe, le se-exe
Le sexe m'ensorse-exe
Ô gué vive la man-angle *(1)*
Ma libido m'étran-angle
Laissez-moi sexister ô gué
Je suis frustré(e)

Au refrain –

La société m'oppri-ime
Mon prochain me dépri-ime
Ô gué vive le curcuma *(2)*
Je n'aime que le cinéma
Laissez-moi phantasmer ô gué
Je suis frustré(e)

Au refrain

Cette époque est immon-onde
Sur la terre et sur l'on-onde
Ô gué vive l'ompha-asse *(3)*
Ici-bas c'est la ta-asse
Ah que vienne le pied ô gué
Je suis frustré(e)

Au refrain

(1) Fruit du manglier

(2) Plante de l'Inde (famille des Zingibéracées)

(3) Champignon de la famille des Agaricacées

AU RiSQUE DE SE PERDRE

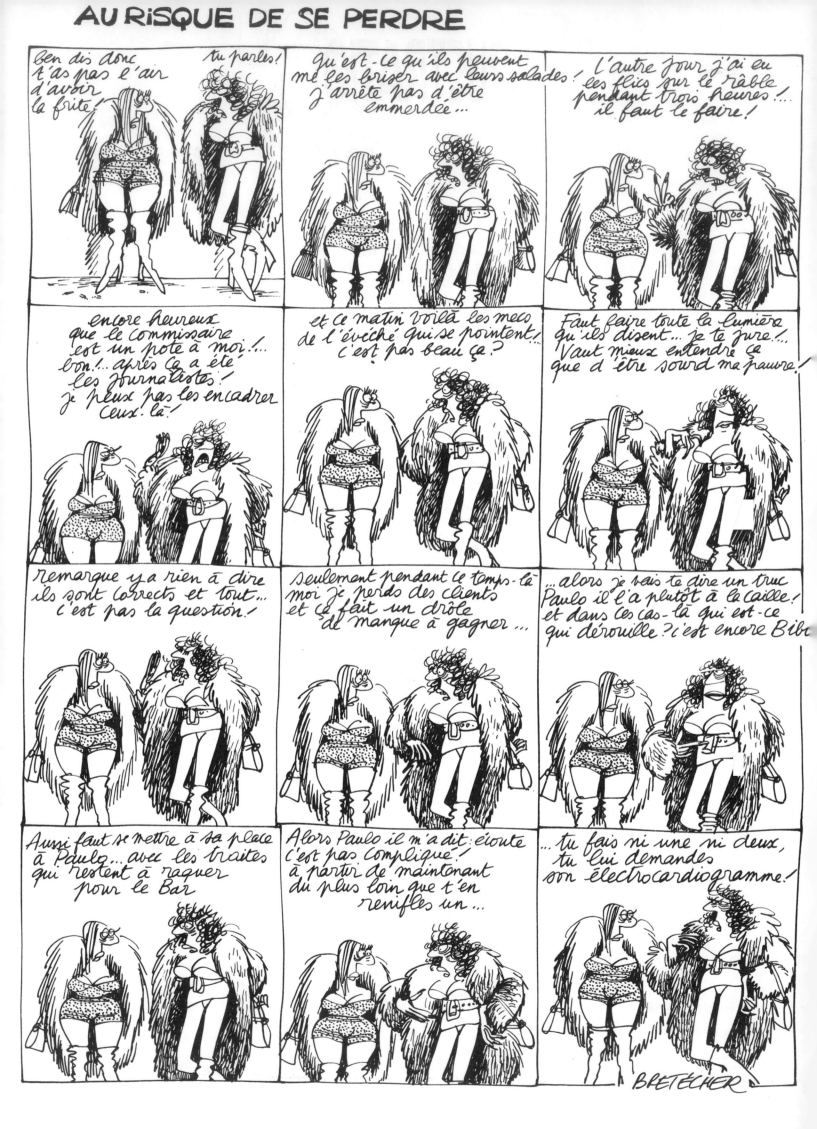

LES PONTONNIERS

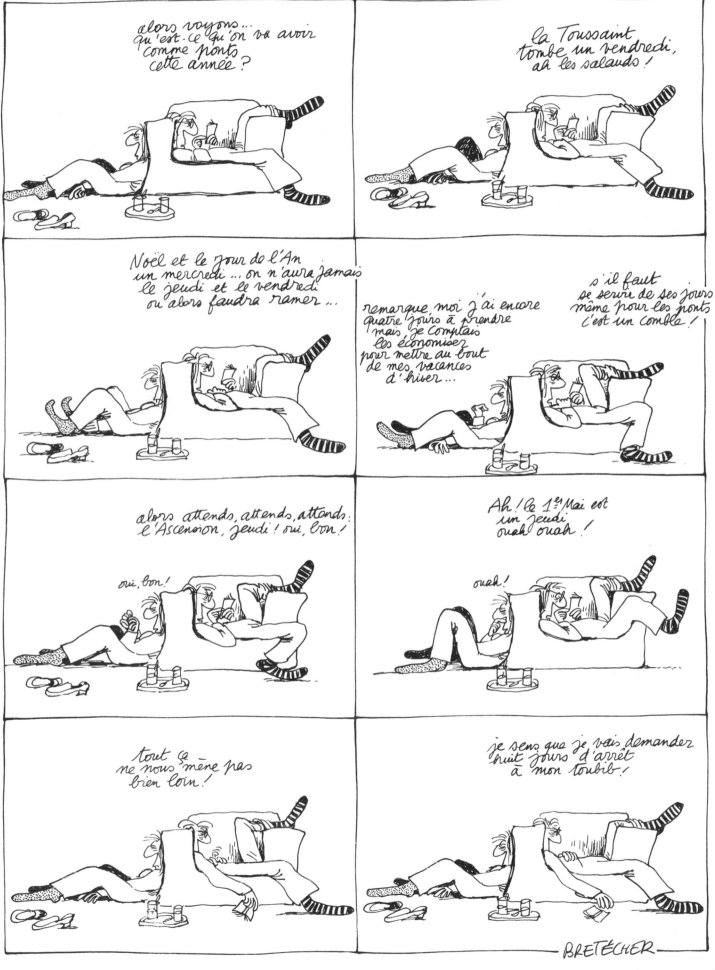

Mémé en a marre

MAMAN

A COEUR PERDU

Alors il me dit: "Si je te vois tu penses bien que ce n'est pas pour te parler de ton âme! Quand est-ce qu'on couche ensemble?"

j'étais embêtée alors je lui dis: "Ecoute je suis embêtée parce qu'en ce moment je n'ai pas le temps"...

alors il me dit: "Bravo, un argument comme ça il faut le trouver, enfin si je te vois c'est pas non plus pour ton cerveau, alors quand est-ce qu'on couche?"

alors, je lui dis: "Ecoute ça m'embête parce qu'en ce moment, justement, je suis fidèle"...

alors il me dit: "Ha ha, toutes pareilles les femmes libérées, vous me faites mal, tiens! Quand il s'agit de faire des discours ça va toujours! vous êtes encore plus coincées que vos grand'mères"...

..."le Lys dans la Vallée" ça a un peu vieilli! on vous explique pas ça au M.L.F.?"

alors moi je savais plus quoi lui dire alors je lui dis: "De toutes façons je suis frigide."

alors il me dit: "Tiens, elles disent toutes ça en ce moment, ça doit être le système défensif dernier cri, en tous cas même si c'est vrai...

...c'est tout simplement que tu es mal baisée ma pauvre chérie! alors tu préfères rester toute ta vie dans cet état?...

sans compter que tu ferais bien d'en profiter pendant qu'il y a encore de la demande parce que dans cinq-six ans c'est terminé pour toi!"

tu comprends, il ne me plaît pas, je ne peux pas le supporter mais ce n'est pas possible de le lui dire, ce ne serait pas gentil...

d'ailleurs il ne me croirait pas!

BRETÉCHER

47

POUR AÏCHA

48

DIVORCE

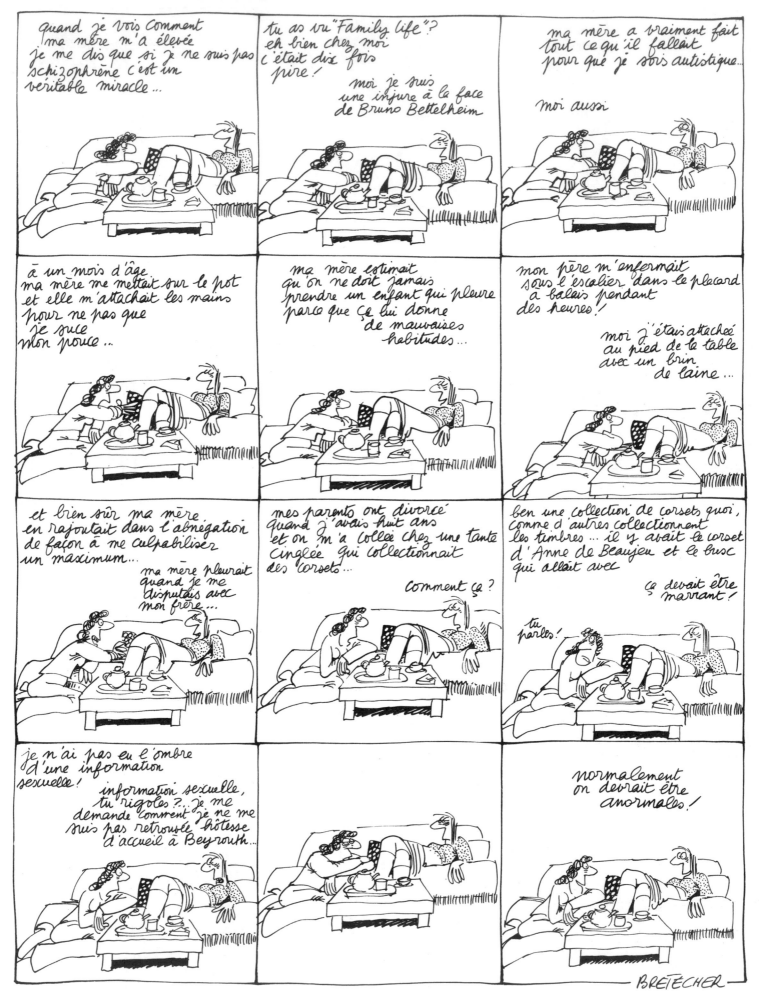

CLAIR FOYER

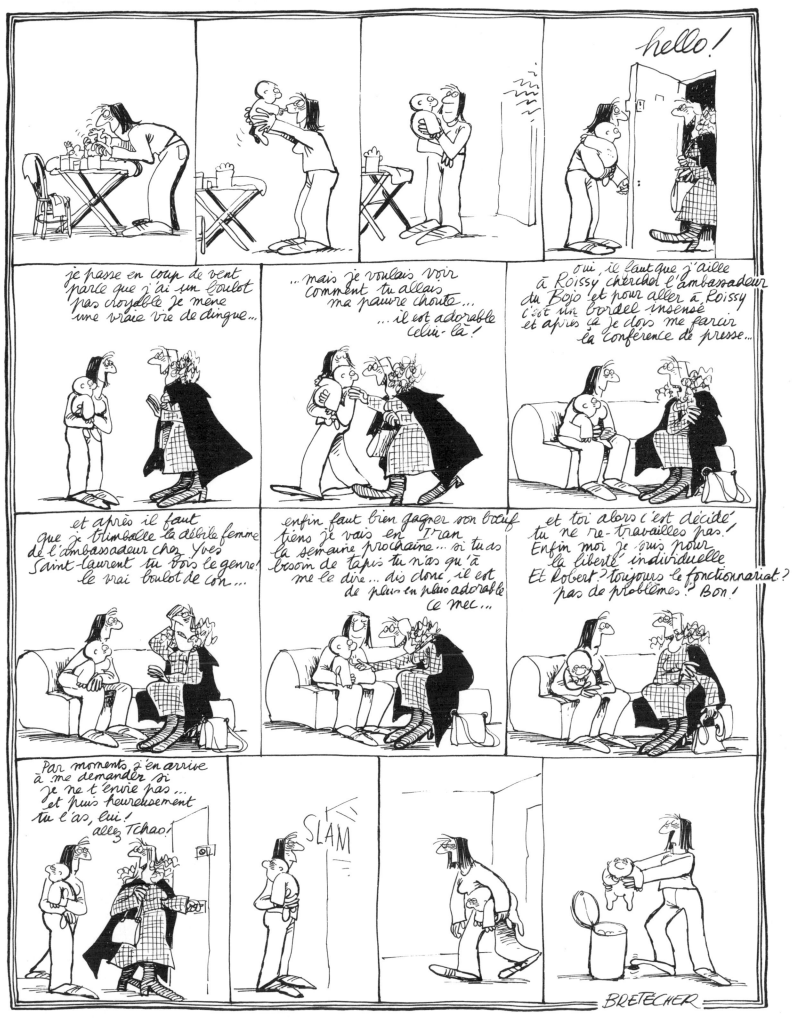

LES FOURMIS

BRETÉCHER

Guiguitte Bongiorno

Case 1: mademoiselle Bongiorno c'est pour la petite collecte pour le départ en retraite de monsieur Cerisier...

Combien faut-il donner ?

Case 2: c'est laissé à la générosité de chacun... pas moins de 20 frs...

...et il faut signer la petite carte avec nos vœux à tous...

Case 3: mademoiselle Bongiorno je ramasse les cotisations pour les fiançailles de liliane

qui est liliane ?

Case 4: la nouvelle réceptionniste... son fiancé est dans les assurances... voici la petite carte...

Case 5: mademoiselle Bongiorno je suis chargée de réunir les dons pour la fécondation de madame Trouillon...

Case 6: ...et pendant que j'y suis, (comme ça ce sera fait) donnez-moi donc aussi pour le cadeau de naissance du bébé de monsieur Mitzinmaker...

j'en ai marre de raquer ! vous n'avez qu'à aller taper le singe !

Case 7: justement ! monsieur Bénin s'est montré très généreux, très très généreux ! très !

grand bien lui fasse !

très, très !

très !

très !

Case 8: tout le monde va être surpris et peiné de votre attitude mais naturellement c'est une question de cœur !... personne n'est forcé !

Case 9: monsieur Mitzinmaker, c'est un petit rien pour votre petit Gustalin... si si, au nom de tous... enfin presque de tous...

il ne fallait pas !

Case 10: oh ! un pyjama à pieds en éponge ! que c'est gentil... ma femme va être si contente... nous n'en avions que 344 !

c'est si peu de chose !

ça nous fait plaisir !

Case 11: allez ça s'arrose !... j'offre un pot à tout le monde... enfin, presque à tout le monde...

Case 12: moi c'est ce que je dis toujours : dans un bureau, ce qui compte c'est une bonne ambiance... il y a des jeunes qui ne comprennent pas ça...

BOTTELUDO

PEAU D'ORANGE

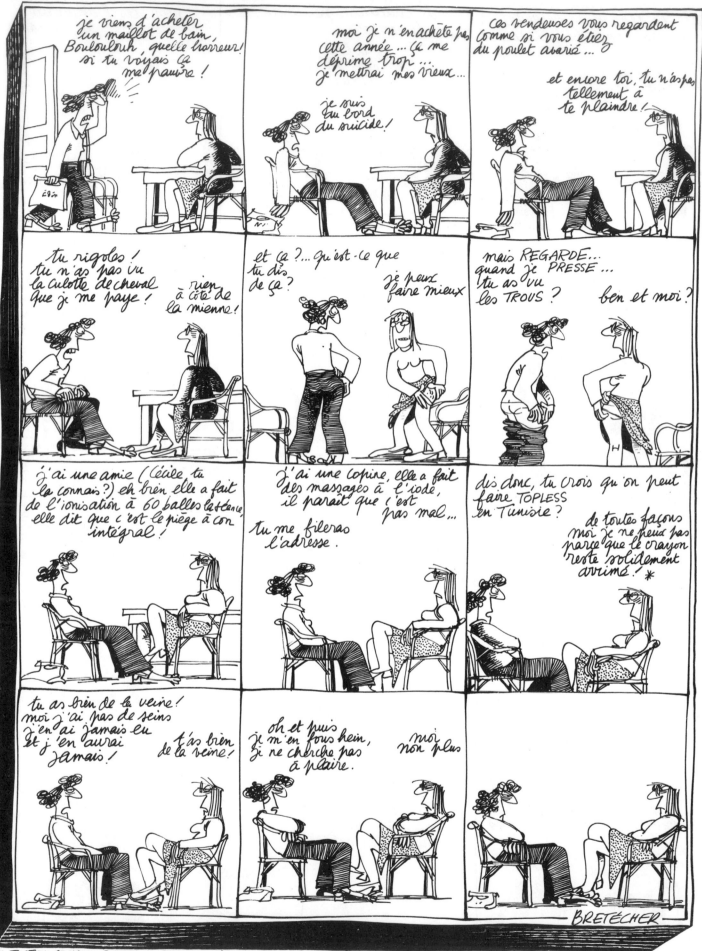

✳ TEST DU CRAYON : PLACER UN CRAYON HORIZONTALEMENT SOUS LE SEIN, S'IL RESTE COINCÉ C'EST MAUVAIS (NOTE À L'USAGE DES ATTARDÉES)

L'HOMME À PRINCIPES

LE PETIT CHAT EST MORT

LES PURS

Corinne

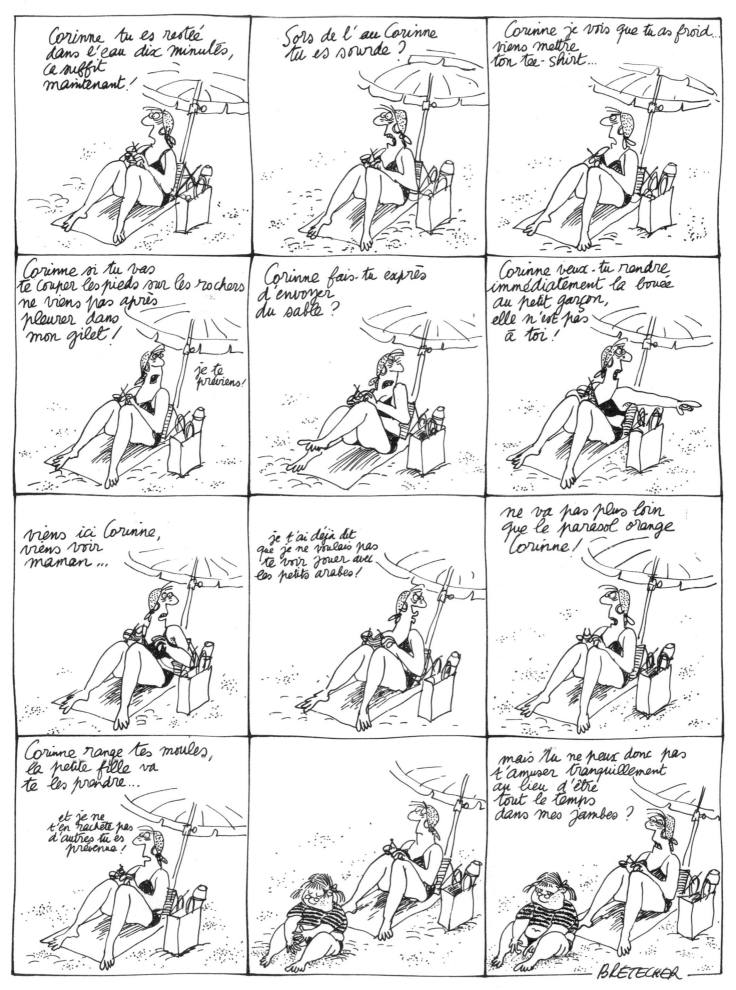

À LA MENTHE

DÉFICIT

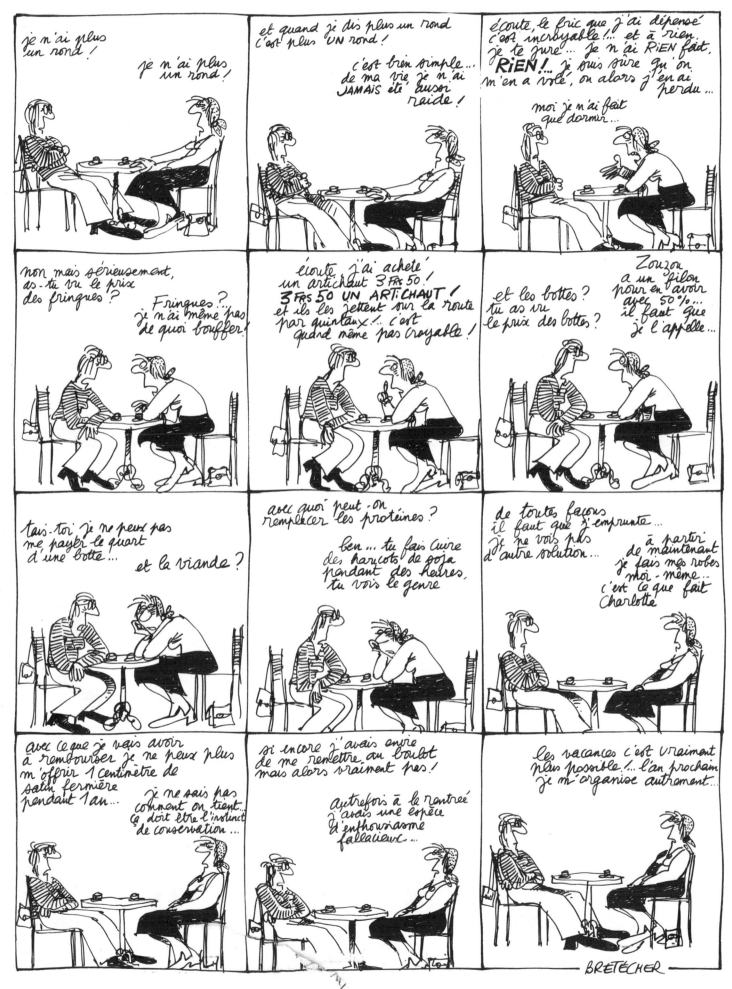

l'underground

L'ANNÉE DE LA FEMME